POE

La Lettre volée

Traduit de l'anglais par
Charles Baudelaire

Couverture et illustrations
de Marion Bataille

ÉDITIONS MILLE ET UNE NUITS

POE
n° 82

Texte intégral.
Titre original : *The Purloined Letter*.

© Éditions Mille et une nuits, novembre 1995
pour la postface et les illustrations.
ISBN : 2-84205-011-8

Sommaire

POE

La Lettre volée

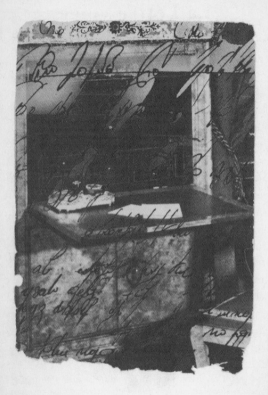

La Lettre volée

Nil sapientiœ odiosius acumine nimio
Sénèque

J'étais à Paris en 18... Après une sombre et ora-
geuse soirée d'automne, je jouissais de la double
volupté de la méditation et d'une pipe d'écume de
mer, en compagnie de mon ami Dupin, dans sa petite
bibliothèque ou cabinet d'étude, rue Dunot, n° 33, au
troisième, faubourg Saint-Germain. Pendant une
bonne heure, nous avions gardé un profond silence ;
chacun de nous, pour le premier observateur venu,
aurait paru profondément et exclusivement occupé des
tourbillons frisés de fumée qui chargeaient l'atmo-
sphère de la chambre. Pour mon compte, je discutais
en moi-même certains points qui avaient été dans la
première partie de la soirée l'objet de notre conversation ; je veux parler de l'affaire de la rue Morgue, et
du mystère relatif à l'assassinat de Marie Roget*. Je

---

* Encore un meurtre, dont Dupin refait l'instruction. *Le Double
Assassinat dans la rue Morgue*, *Le Mystère de Marie Roget* et *La
Lettre volée* font une espèce de trilogie. Obligé de donner des
échantillons variés des talents de Poe, j'ai craint la répétition. (C.B.)

rêvais donc à l'espèce d'analogie qui reliait ces deux affaires, quand la porte de notre appartement s'ouvrit, et donna passage à notre vieille connaissance, à M. G..., le préfet de police de Paris.

Nous lui souhaitâmes cordialement la bienvenue ; car l'homme avait son revers charmant comme son côté méprisable, et nous ne l'avions pas vu depuis quelques années. Comme nous étions assis dans les ténèbres, Dupin se leva pour allumer une lampe ; mais il se rassit et n'en fit rien, entendant G... dire qu'il était venu pour nous consulter, ou plutôt pour demander l'opinion de mon ami relativement à une affaire qui lui avait causé une masse d'embarras.

— Si c'est un cas qui demande de la réflexion, observa Dupin s'abstenant d'allumer la mèche, nous l'examinerons plus convenablement dans les ténèbres.

— Voilà encore une de vos idées bizarres, dit le préfet, qui avait la manie d'appeler bizarres toutes les choses situées au-delà de sa compréhension, et qui vivait ainsi au milieu d'une immense légion de bizarreries.

— C'est, ma foi, vrai ! dit Dupin en présentant une pipe à notre visiteur, et roulant vers lui un excellent fauteuil.

— Et maintenant, quel est le cas embarrassant ? demandai-je ; j'espère bien que ce n'est pas encore dans le genre assassinat.

— Oh! non. Rien de pareil. Le fait est que l'affaire est vraiment très simple, et je ne doute pas que nous ne puissions nous en tirer fort bien nous-mêmes; mais j'ai pensé que Dupin ne serait pas fâché d'apprendre les détails de cette affaire, parce qu'elle est excessivement *bizarre*.

— Simple et bizarre, dit Dupin.

— Mais oui; et cette expression n'est pourtant pas exacte; l'un ou l'autre, si vous aimez mieux. Le fait est que nous avons été tous là-bas fortement embarrassés par cette affaire; car, toute simple qu'elle est, elle nous déroute complètement.

— Peut-être est-ce la simplicité même de la chose qui vous induit en erreur, dit mon ami.

— Quel non-sens nous dites-vous là! répliqua le préfet, en riant de bon cœur.

— Peut-être le mystère est-il un peu *trop* clair, dit Dupin.

— Oh! bonté du ciel! qui a jamais ouï parler d'une idée pareille?

— Un peu *trop* évident.

— Ha! ha! ha! ha! Oh! oh! criait notre hôte, qui se divertissait profondément. Oh! Dupin, vous me ferez mourir de joie, voyez-vous.

— Et enfin, demandai-je, quelle est la chose en question?

— Mais je vous la dirai, répliqua le préfet, en

lâchant une longue, solide et contemplative bouffée de fumée, et s'établissant dans son fauteuil. Je vous la dirai en peu de mots. Mais avant de commencer, laissez-moi vous avertir que c'est une affaire qui demande le plus grand secret, et que je perdrais très probablement le poste que j'occupe si l'on savait que je l'ai confiée à qui que ce soit.

— Commencez, dis-je.

— Ou ne commencez pas, dit Dupin.

— C'est bien ; je commence. J'ai été informé personnellement, et en très haut lieu, qu'un certain document de la plus grande importance avait été soustrait dans les appartements royaux. On sait quel est l'individu qui l'a volé ; cela est hors de doute ; on l'a vu s'en emparer. On sait aussi que ce document est toujours en sa possession.

— Comment sait-on cela ? demanda Dupin.

— Cela est clairement déduit de la nature du document et de la non-apparition de certains résultats qui surgiraient immédiatement s'il sortait des mains du voleur ; en d'autres termes, s'il était employé en vue du but que celui-ci doit évidemment se proposer.

— Veuillez être un peu plus clair, dis-je.

— Eh bien ! j'irai jusqu'à dire que ce papier confère à son détenteur un certain pouvoir dans un certain lieu où ce pouvoir est d'une valeur appréciable. Le préfet raffolait du *cant* diplomatique.

— Je continue à ne rien comprendre, dit Dupin.

— Rien, vraiment ? Allons ! Ce document, révélé à un troisième personnage, dont je tairai le nom, mettrait en question l'honneur d'une personne du plus haut rang ; et voilà ce qui donne au détenteur du document un ascendant sur l'illustre personne dont l'honneur et la sécurité sont ainsi mis en péril.

— Mais cet ascendant, interrompis-je, dépend de ceci : le voleur sait-il que la personne volée connaît son voleur ? Qui oserait… ?

— Le voleur, dit G…, c'est D…, qui ose tout ce qui est indigne d'un homme, aussi bien que ce qui est digne de lui. Le procédé du vol a été aussi ingénieux que hardi. Le document en question – une lettre, pour être franc – a été reçu par la personne volée pendant qu'elle était seule dans le boudoir royal. Pendant qu'elle le lisait, elle fut soudainement interrompue par l'entrée de l'autre illustre personnage à qui elle désirait particulièrement le cacher. Après avoir essayé en vain de le jeter rapidement dans un tiroir, elle fut obligée de le déposer tout ouvert sur une table. La lettre, toutefois, était retournée, la suscription en dessus, et, le contenu étant ainsi caché, elle n'attira pas l'attention. Sur ces entrefaites arriva le ministre D… Son œil de lynx perçoit immédiatement le papier, reconnaît l'écriture de la suscription, remarque l'embarras de la personne à qui elle était adressée, et pénètre son secret.

Après avoir traité quelques affaires, expédiées tambour battant, à sa manière habituelle, il tire de sa poche une lettre à peu près semblable à la lettre en question, l'ouvre, fait semblant de la lire, et la place juste à côté de l'autre. Il se remet à causer, pendant un quart d'heure environ, des affaires publiques. À la longue, il prend congé, et met la main sur la lettre à laquelle il n'a aucun droit. La personne volée le vit, mais, naturellement, n'osa pas attirer l'attention sur ce fait, en présence du troisième personnage qui était à son côté. Le ministre décampa, laissant sur la table sa propre lettre, une lettre sans importance.

— Ainsi, dit Dupin en se tournant à moitié vers moi, voilà précisément le cas demandé pour rendre l'ascendant complet : le voleur sait que la personne volée connaît son voleur.

— Oui, répliqua le préfet, et depuis quelques mois il a été largement usé, dans un but politique, de l'empire conquis par ce stratagème, et jusqu'à un point fort dangereux. La personne volée est de jour en jour plus convaincue de la nécessité de retirer sa lettre. Mais, naturellement, cela ne peut pas se faire ouvertement. Enfin, poussée au désespoir, elle m'a chargé de la commission.

— Il n'était pas possible, je suppose, dit Dupin dans une auréole de fumée, de choisir ou même d'imaginer un agent plus sagace.

— Vous me flattez, répliqua le préfet ; mais il est bien possible qu'on ait conçu de moi quelque opinion de ce genre.

— Il est clair, dis-je, comme vous l'avez remarqué, que la lettre est toujours entre les mains du ministre, puisque c'est le fait de la possession et non l'usage de la lettre qui crée l'ascendant. Avec l'usage, l'ascendant s'évanouit.

— C'est vrai, dit G…, et c'est d'après cette conviction que j'ai marché. Mon premier soin a été de faire une recherche minutieuse à l'hôtel du ministre ; et là mon principal embarras fut de chercher à son insu. Par-dessus tout, j'étais en garde contre le danger qu'il y aurait eu à lui donner un motif de soupçonner notre dessein.

— Mais, dis-je, vous êtes tout à fait à votre affaire dans ces espèces d'investigations. La police parisienne a pratiqué la chose plus d'une fois.

— Oh ! sans doute ; et c'est pourquoi j'avais bonne espérance. Les habitudes du ministre me donnaient d'ailleurs un grand avantage. Il est souvent absent de chez lui toute la nuit. Ses domestiques ne sont pas nombreux. Ils couchent à une certaine distance de l'appartement de leur maître, et comme ils sont napolitains avant tout, ils mettent de la bonne volonté à se laisser enivrer. J'ai, comme vous savez, des clefs avec lesquelles je puis ouvrir toutes les chambres et tous les cabinets de Paris. Pendant trois mois il ne s'est pas passé une nuit dont je n'aie employé la plus grande partie à fouiller, en personne, l'hôtel D… Mon honneur y est intéressé, et, pour vous confier un grand secret, la récompense est énorme. Aussi je n'ai abandonné les recherches que lorsque j'ai été pleinement convaincu que le voleur était encore plus fin que moi. Je crois que j'ai scruté tous les coins et recoins de la maison dans lesquels il était possible de cacher un papier.

— Mais ne serait-il pas possible, insinuai-je, que, bien que la lettre soit au pouvoir du ministre, elle y est indubitablement, il l'eût cachée ailleurs que dans sa propre maison ?

— Cela n'est guère possible, dit Dupin. La situation particulière, actuelle, des affaires à la cour, spécialement la nature de l'intrigue dans laquelle D… a pénétré, comme on sait, font de l'efficacité immédiate du document, de la possibilité de le produire à la minute, un point d'une importance presque égale à sa possession.

— La possibilité de le produire, dis-je ?

— Ou, si vous aimez mieux, de l'annihiler, dit Dupin.

— C'est vrai, remarquai-je. Le papier est donc évidemment dans l'hôtel. Quant au cas où il serait sur la personne même du ministre, nous le considérons comme tout à fait hors de la question.

— Absolument, dit le préfet. Je l'ai fait arrêter deux fois par de faux voleurs, et sa personne a été scrupuleusement fouillée sous mes propres yeux.

— Vous auriez pu vous épargner cette peine, dit Dupin. D… n'est pas absolument fou, je présume, et dès lors il a dû prévoir ces guet-apens comme choses naturelles.

— Pas *absolument* fou, c'est vrai, dit G…, toutefois, c'est un poète, ce qui, je crois, n'en est pas fort éloigné.

— C'est vrai, dit Dupin, après avoir longuement et pensivement poussé la fumée de sa pipe d'écume, bien que je me sois rendu moi-même coupable de certaine rapsodie.

— Voyons, dis-je, racontez-nous les détails précis de votre recherche.

— Le fait est que nous avons pris notre temps, et que nous avons cherché *partout*. J'ai une vieille expérience de ces sortes d'affaires. Nous avons entrepris la maison tout entière, chambre par chambre ; nous avons consacré à chacune les nuits de toute une semaine. Nous avons d'abord examiné les meubles de chaque appartement. Nous avons ouvert tous les tiroirs possibles ; et je présume que vous n'ignorez pas que, pour un agent de police bien dressé, un tiroir *secret* est une chose qui n'existe pas. Tout homme qui, dans une perquisition de cette nature, permet à un tiroir secret de lui échapper est une brute. La besogne est si facile ! Il y a dans chaque pièce une certaine quantité de volumes et de surfaces dont on peut se rendre compte. Nous avons pour cela des règles exactes. La cinquantième partie d'une ligne ne peut pas nous échapper.

« Après les chambres, nous avons pris les sièges. Les coussins ont été sondés avec ces longues et fines aiguilles que vous m'avez vu employer. Nous avons enlevé les dessus des tables. »

— Et pourquoi ?

— Quelquefois le dessus d'une table ou de toute autre pièce d'ameublement analogue est enlevé par une personne qui désire cacher quelque chose ; elle creuse le pied de la table ; l'objet est déposé dans la cavité, et le dessus replacé. On se sert de la même manière des montants d'un lit.

— Mais ne pourrait-on pas deviner la cavité par l'auscultation ? demandai-je.

— Pas le moins du monde, si, en déposant l'objet, on a eu soin de l'entourer d'une bourre de coton suffisante. D'ailleurs, dans notre cas nous étions obligés de procéder sans bruit.

— Mais vous n'avez pas pu défaire, vous n'avez pas pu démonter toutes les pièces d'ameublement dans lesquelles on aurait pu cacher un dépôt de la façon dont vous parlez. Une lettre peut être roulée en une spirale très mince, ressemblant beaucoup par sa forme et son volume à une grosse aiguille à tricoter, et être ainsi insérée dans un bâton de chaise, par exemple. Avez-vous démonté toutes les chaises ?

— Non certainement, mais nous avons fait mieux, nous avons examiné les bâtons de toutes les chaises de l'hôtel, et même les jointures de toutes les pièces de l'ameublement, à l'aide d'un puissant microscope. S'il y avait eu la moindre trace d'un désordre récent, nous l'aurions infailliblement découvert à l'instant. Un seul grain de poussière causée par la vrille, par exemple, nous aurait sauté aux yeux comme une pomme. La moindre altération dans la colle, un simple bâillement dans les jointures aurait suffi pour nous révéler la cachette.

— Je présume que vous avez examiné les glaces entre la glace et le planchéiage, et que vous avez fouillé les lits et les courtines des lits aussi bien que les rideaux et les tapis.

— Naturellement ; et quand nous eûmes absolument passé en revue tous les articles de ce genre, nous avons examiné la maison elle-même. Nous avons divisé la totalité de sa surface en compartiments, que nous avons numérotés pour être sûrs de n'en omettre aucun ; nous avons fait de chaque pouce carré l'objet d'un nouvel examen au microscope, et nous y avons compris les deux maisons adjacentes.

— Les deux maisons adjacentes ! m'écriai-je ; vous avez dû vous donner bien du mal.

— Oui, ma foi ! Mais la récompense offerte est énorme.

— Dans les maisons, comprenez-vous le sol ?

— Le sol est partout pavé en briques. Comparativement, cela ne nous a pas donné grand mal. Nous avons examiné la mousse entre les briques, elle était intacte.

— Vous avez sans doute visité les papiers de D…, et les livres de la bibliothèque ?

— Certainement ; nous avons ouvert chaque paquet et chaque article ; nous n'avons pas seulement ouvert les livres, mais nous les avons parcourus feuillet par feuillet, ne nous contentant pas de les secouer simplement comme font plusieurs de nos officiers de police. Nous avons aussi mesuré l'épaisseur de chaque reliure avec la plus exacte minutie et nous avons appliqué à chacune la curiosité jalouse du microscope. Si l'on avait récemment inséré quelque chose dans une des reliures, il eût été absolument impossible que le fait échappât à notre observation. Cinq ou six volumes qui sortaient des mains du relieur ont été soigneusement sondés longitudinalement avec les aiguilles.

— Vous avez exploré les parquets, sous les tapis ?

— Sans doute. Nous avons enlevé chaque tapis, et nous avons examiné les planches au microscope.

— Et les papiers des murs ?

— Aussi.

— Vous avez visité les caves ?

— Nous avons visité les caves.

— Ainsi, dis-je, vous avez fait fausse route, et la lettre n'est pas dans l'hôtel, comme vous le supposiez.

— Je crains que vous n'ayez raison, dit le préfet. Et vous maintenant, Dupin, que me conseillez-vous de faire ?

— Faire une perquisition complète.

— C'est absolument inutile ! répliqua G... Aussi sûr que je vis, la lettre n'est pas dans l'hôtel !

— Je n'ai pas de meilleur conseil à vous donner, dit Dupin. Vous avez sans doute un signalement exact de la lettre.

— Oh ! oui ! Et ici, le préfet, tirant un agenda, se mit à nous lire à haute voix une description minutieuse du document perdu, de son aspect intérieur, et spécialement de l'extérieur. Peu de temps après avoir fini la lecture de cette description, cet excellent homme prit congé de nous, plus accablé, et l'esprit plus complètement découragé que je ne l'avais vu jusqu'alors.

Environ un mois après, il nous fit une seconde visite, et nous trouva occupés à peu près de la même façon. Il prit une pipe et un siège, et causa de choses et d'autres. À la longue, je lui dis :

— Eh bien ! mais, G…, et votre lettre volée ? Je présume qu'à la fin vous vous êtes résigné à comprendre que ce n'est pas une petite besogne que d'enfoncer le ministre ?

— Que le diable l'emporte ! J'ai pourtant recommencé cette perquisition, comme Dupin me l'a conseillé ; mais, comme je m'en doutais, ç'a été peine perdue.

— De combien est la récompense offerte ? vous nous avez dit… demanda Dupin.

— Mais… elle est très forte… une récompense vraiment magnifique, je ne veux pas vous dire au juste combien ; mais une chose que je vous dirai, c'est que je m'engagerais bien à payer de ma bourse cinquante mille francs à celui qui pourrait me trouver cette lettre. Le fait est que la chose devient de jour en jour plus urgente ; et la récompense a été doublée tout récemment. Mais, en vérité, on la triplerait, que je ne pourrais faire mon devoir mieux que je l'ai fait.

— Mais… oui…, dit Dupin en traînant ses paroles au milieu des bouffées de sa pipe, je crois… réellement, G…, que vous n'avez pas fait… tout votre possible… vous n'êtes pas allé au fond de la question. Vous pourriez faire… un peu plus, je pense du moins, hein ?

— Comment ? Dans quel sens ?

— Mais… (une bouffée de fumée) vous pourriez… (bouffée sur bouffée) prendre conseil en cette matière, hein ? (Trois bouffées de fumée.) Vous rappelez-vous l'histoire qu'on raconte d'Abernethy * ?

— Non ! au diable votre Abernethy !

— Assurément ! au diable, si cela vous amuse ! Or donc, une fois, un certain riche, fort avare, conçut le dessein de soutirer à Abernethy une consultation médicale. Dans ce but, il entama avec lui, au milieu d'une société, une conversation ordinaire, à travers laquelle il insinua au médecin son propre cas, comme celui d'un individu imaginaire.

— Nous supposerons, dit l'avare, que les symptômes sont tels et tels ; maintenant, docteur, que lui conseilleriez-vous de prendre ?

— Que prendre ? dit Abernethy, mais prendre conseil à coup sûr.

— Mais, dit le préfet, un peu décontenancé, je suis tout disposé à prendre conseil, et à payer pour cela. Je donnerais *vraiment* cinquante mille francs à quiconque me tirerait d'affaire.

— Dans ce cas, répliqua Dupin, ouvrant un tiroir et en tirant un livre de mandats, vous pouvez aussi bien me faire un bon pour la somme susdite. Quand vous l'aurez signé, je vous remettrai votre lettre. »

Je fus stupéfié. Quant au préfet, il semblait absolument foudroyé. Pendant quelques minutes, il resta

---

* Médecin anglais très célèbre et très excentrique. (C.B.)

muet et immobile, regardant mon ami, la bouche
béante, avec un air incrédule et des yeux qui sem-
blaient lui sortir de la tête ; enfin, il parut revenir un
peu à lui, il saisit une plume, et après quelques hési-
tations, le regard ébahi et vide, il remplit et signa un
bon de cinquante mille francs, et le tendit à Dupin
par-dessus la table. Ce dernier l'examina soigneusement, et le serra dans son portefeuille ; puis ouvrant
un pupitre, il en tira une lettre et la donna au préfet.
Notre fonctionnaire l'agrippa dans une parfaite ago-
nie de joie, l'ouvrit d'une main tremblante, jeta un
coup d'œil sur son contenu, puis attrapant précipi-
tamment la porte, se rua sans plus de cérémonie hors
de la chambre et de la maison, sans avoir prononcé
une syllabe depuis le moment où Dupin l'avait prié de
remplir le mandat.

Quand il fut parti, mon ami entra dans quelques
explications.

— La police parisienne, dit-il, est excessivement
habile dans son métier. Ses agents sont persévérants,
ingénieux, rusés, et possèdent à fond toutes les
connaissances que requièrent spécialement leurs fonctions. Aussi, quand G… nous détaillait son mode de
perquisition dans l'hôtel D…, j'avais une entière
confiance dans ses talents, et j'étais sûr qu'il avait fait
une investigation pleinement suffisante, dans le cercle
de sa spécialité.

— Dans le cercle de sa spécialité ? dis-je.

— Oui, dit Dupin, les mesures adoptées n'étaient pas seulement les meilleures dans l'espèce, elles furent aussi poussées à une absolue perfection. Si la lettre avait été cachée dans le rayon de leur investigation, ces gaillards l'auraient trouvée, cela ne fait pas pour moi l'ombre d'un doute.

Je me contentai de rire ; mais Dupin semblait avoir dit cela fort sérieusement.

— Donc, les mesures, continua-t-il, étaient bonnes dans l'espèce et admirablement exécutées ; elles avaient pour défaut d'être inapplicables au cas et à l'homme en question. Il y a tout un ordre de moyens singulièrement ingénieux qui sont pour le préfet une sorte de lit de Procuste, sur lequel il adapte et garrotte tous ses plans. Mais il erre sans cesse par trop de profondeur ou par trop de superficialité pour le cas en question, et plus d'un écolier raisonnerait mieux que lui.

« J'ai connu un enfant de huit ans dont l'infaillibilité au jeu de pair ou impair faisait l'admiration universelle. Ce jeu est simple, on y joue avec des billes. L'un des joueurs tient dans sa main un certain nombre de ses billes, et demande à l'autre : Pair ou non ? Si celui-ci devine juste, il gagne une bille ; s'il se trompe, il en perd une. L'enfant dont je parle gagnait toutes les billes de l'école. Naturellement, il avait un mode

de divination, lequel consistait dans la simple observation et dans l'appréciation de la finesse de ses
adversaires. Supposons que son adversaire soit un
parfait nigaud, et levant sa main fermée, lui
demande : pair ou impair ? Notre écolier répond :
impair, et il a perdu. Mais à la seconde épreuve, il
gagne, car il se dit en lui-même : le niais avait mis pair
la première fois, et toute sa ruse ne va qu'à lui faire
mettre impair à la seconde ; je dirai donc : impair ; il
dit impair, et il gagne.

« Maintenant, avec un adversaire un peu moins
simple, il aurait raisonné ainsi : ce garçon voit que,
dans le premier cas, j'ai dit impair, et, dans le second,
il se proposera, c'est la première idée qui se présen-
tera à lui, une simple variation de pair à impair
comme a fait le premier bêta ; mais une seconde
réflexion lui dira que c'est là un changement trop
simple, et finalement il se décidera à mettre pair
comme la première fois. Je dirai donc pair. Il dit pair,
et gagne. Maintenant ce mode de raisonnement de
notre écolier, que ses camarades appellent la chance,
en dernière analyse, qu'est-ce que c'est ? »

— C'est simplement, dis-je, une identification de
l'intellect de notre raisonneur avec celui de son adversaire.

— C'est cela même, dit Dupin ; et quand je deman-
dai à ce petit garçon par quel moyen il effectuait cette

parfaite identification qui faisait tout son succès, il me fit la réponse suivante :

« Quand je veux savoir jusqu'à quel point quelqu'un est circonspect ou stupide, jusqu'à quel point il est bon ou méchant, ou quelles sont actuellement ses pensées, je compose mon visage d'après le sien, aussi exactement que possible, et j'attends alors pour savoir quels pensers ou quels sentiments naîtront dans mon esprit ou dans mon cœur, comme pour s'appareiller et correspondre avec ma physionomie.

« Cette réponse de l'écolier enfonce de beaucoup toute la profondeur sophistique attribuée à La Rochefoucauld, à La Bruyère, à Machiavel et à Campanella. »

— Et l'identification de l'intellect du raisonneur avec celui de son adversaire dépend, si je vous comprends bien, de l'exactitude avec laquelle l'intellect de l'adversaire est apprécié.

— Pour la valeur pratique, c'est en effet la condition, répliqua Dupin, et si le préfet et toute sa bande se sont trompés si souvent, c'est, d'abord, faute de cette identification, en second lieu, par une appréciation inexacte, ou plutôt par la non-appréciation de l'intelligence avec laquelle ils se mesurent. Ils ne voient que leurs propres idées ingénieuses ; et, quand ils cherchent quelque chose de caché, ils ne pensent qu'aux moyens dont ils se seraient servis pour le cacher. Ils ont fortement raison en cela que leur propre ingéniosité est une représentation fidèle de celle de la foule ; mais quand il se trouve un malfaiteur particulier dont la finesse diffère, en espèce, de la leur, ce malfaiteur, naturellement, les *roule*.

« Cela ne manque jamais quand son astuce est au-dessus de la leur, et cela arrive très fréquemment même quand elle est au-dessous. Ils ne varient pas leur système d'investigation ; tout au plus, quand ils sont incités par quelque cas insolite, par quelque récompense extraordinaire, ils exagèrent et poussent à outrance leurs vieilles routines, mais ils ne changent rien à leurs principes.

« Dans le cas de D..., par exemple, qu'a-t-on fait pour changer le système d'opération ? Qu'est-ce que c'est que toutes ces perforations, ces fouilles, ces sondes, cet examen au microscope, cette division des surfaces en pouces carrés numérotés, qu'est-ce que tout cela, si ce n'est l'exagération, dans son application, d'un des principes ou de plusieurs principes d'investigation, qui sont basés sur un ordre d'idées relatif à l'ingéniosité humaine, et dont le préfet a pris l'habitude dans la longue routine de ses fonctions ?

« Ne voyez-vous pas qu'il considère comme chose démontrée que *tous* les hommes qui veulent cacher une lettre se servent, si ce n'est précisément d'un trou fait à la vrille dans le pied d'une chaise, au moins de quelque trou, de quelque coin tout à fait singulier dont ils ont puisé l'invention dans le même registre d'idées que le trou fait avec une vrille ?

« Et ne voyez-vous pas aussi que des cachettes aussi *originales* ne sont employées que dans des occasions ordinaires, et ne sont adoptées que par des intelligences ordinaires ; car dans tous les cas d'objets cachés, cette manière ambitieuse et torturée de cacher l'objet est, dans le principe, présumable et présumée ; ainsi, la découverte ne dépend nullement de la perspicacité, mais simplement du soin, de la patience et de la résolution des chercheurs. Mais, quand le cas est important, ou, ce qui revient au même aux yeux de la police, quand la récompense est considérable, on voit toutes ces belles qualités échouer infailliblement. Vous comprenez maintenant ce que je voulais dire en affirmant que, si la lettre volée avait été cachée dans le rayon de la perquisition de notre préfet ; en d'autres termes, si le principe inspirateur de la cachette avait été compris dans les principes du préfet, il l'eût infailliblement découverte. Cependant, ce fonctionnaire a été complètement mystifié ; et la cause première, originelle, de sa défaite, gît dans la supposition que le ministre est un fou, parce qu'il s'est fait une réputation de poète. Tous les fous sont poètes, c'est la manière de voir du préfet, et il n'est coupable que d'une fausse distribution du terme moyen, en inférant de là que tous les poètes sont fous. »

— Mais est-ce vraiment le poète ? demandai-je. Je sais qu'ils sont deux frères, et ils se sont fait tous deux une réputation dans les lettres. Le ministre, je crois, a écrit un livre fort remarquable sur le calcul différentiel et intégral. Il est le mathématicien, et non pas le poète.

— Vous vous trompez ; je le connais fort bien ; il est poète et mathématicien. Comme poète *et* mathématicien, il a dû raisonner juste ; comme simple mathématicien, il n'aurait pas raisonné du tout, et se serait ainsi mis à la merci du préfet.

— Une pareille opinion, dis-je, est faite pour m'étonner ; elle est démentie par la voix du monde entier. Vous n'avez pas l'intention de mettre à néant l'idée mûrie par plusieurs siècles. La raison mathématique est depuis longtemps regardée comme la raison *par excellence*.

— *Il y a à parier*, répliqua Dupin, en citant Chamfort, *que toute idée publique, toute convention reçue est une sottise, car elle a convenu au plus grand nombre*. Les mathématiciens, je vous accorde cela, ont fait de leur mieux pour propager l'erreur populaire dont vous parlez, et qui, bien qu'elle ait été propagée comme vérité, n'en est pas moins une parfaite erreur. Par exemple, ils nous ont, avec un art digne d'une meilleure cause, accoutumés à appliquer le terme analyse aux opérations algébriques. Les Français sont les premiers coupables de cette tricherie scientifique ;

mais, si l'on reconnaît que les termes de la langue ont une réelle importance, si les mots tirent leur valeur de leur application, oh ! alors, je concède qu'*analyse* traduit *algèbre*, à peu près comme en latin *ambitus* signifie ambition ; *religio*, religion ; ou *homines honesti* la classe des gens honorables.

— Je vois, dis-je, que vous allez vous faire une querelle avec un bon nombre d'algébristes de Paris ; mais continuez.

— Je conteste la validité, et conséquemment les résultats d'une raison cultivée par tout procédé spécial autre que la logique abstraite. Je conteste particulièrement le raisonnement tiré de l'étude des mathématiques. Les mathématiques sont la science des formes et des quantités ; le raisonnement mathématique n'est autre que la simple logique appliquée à la forme et à la quantité. La grande erreur consiste à supposer que les vérités qu'on nomme *purement* algébriques sont des vérités abstraites ou générales. Et cette erreur est si énorme que je suis émerveillé de l'unanimité avec laquelle elle est accueillie. Les axiomes mathématiques ne sont pas des axiomes d'une vérité générale. Ce qui est vrai d'un rapport de forme ou de quantité est souvent une grossière erreur relativement à la morale, par exemple. Dans cette dernière science il est très communément faux que la somme des fractions soit égale au tout. De même en chimie, l'axiome a tort. Dans l'appréciation d'une force motrice, il a également tort ; car deux moteurs, chacun étant d'une puissance donnée, n'ont pas, nécessairement, quand ils sont associés, une puissance égale à la somme de leurs puissances prises séparément. Il y a une foule d'autres vérités mathématiques qui ne sont des vérités que dans des limites de *rapport*. Mais le mathématicien argumente incorrigiblement d'après ses *vérités finies*, comme si elles étaient d'une application générale et absolue, valeur que d'ailleurs le monde leur attribue. Bryant, dans sa très remarquable *Mythologie*, mentionne une source analogue d'erreurs, quand il dit que, bien que personne ne croie aux fables du paganisme, cependant nous nous oublions nous-mêmes sans cesse au point d'en tirer des déductions, comme si elles étaient des réalités vivantes. Il y a d'ailleurs chez nos algébristes, qui sont eux-mêmes des païens, de certaines fables païennes auxquelles on ajoute foi, et dont on a tiré des conséquences, non pas tant par une absence de mémoire que par un incompréhensible trouble du cerveau. Bref, je n'ai jamais rencontré de pur mathématicien en qui on pût avoir confiance en dehors de ses racines et de ses équations ; je n'en ai pas connu un seul qui ne tînt pas clandestinement pour article de foi que $x^2 + px$ est absolument et inconditionnellement égal à q. Dites à l'un de ces messieurs, en manière d'expérience, si cela vous amuse, que vous croyez à la possibilité de cas où $x^2 + px$ ne serait pas absolument égal à q, et quand vous lui aurez fait comprendre ce que vous voulez dire, mettez-vous hors de sa portée et le plus lestement possible ; car, sans aucun doute, il essaiera de vous assommer.

« Je veux dire, continua Dupin, pendant que je me contentais de rire de ses dernières observations, que si le ministre n'avait été qu'un mathématicien, le préfet n'aurait pas été dans la nécessité de me souscrire ce billet. Je le connaissais pour un mathématicien et un poète, et j'avais pris mes mesures en raison de sa capacité, et en tenant compte des circonstances où il se trouvait placé. Je savais que c'était un homme de cour et un intrigant déterminé. Je réfléchis qu'un pareil homme devait indubitablement être au courant des pratiques de la police. Évidemment il devait avoir prévu, et l'événement l'a prouvé, les guet-apens qui lui ont été préparés. Je me dis qu'il avait prévu les perquisitions secrètes dans son hôtel. Ces fréquentes absences nocturnes que notre bon préfet avait saluées comme des adjuvants positifs de son futur succès, je les regardais simplement comme des ruses, pour faciliter les libres recherches de la police et lui persuader plus facilement que la lettre n'était pas dans l'hôtel. Je sentais aussi que toute la série d'idées relatives aux principes invariables de l'action policière dans les cas de perquisition – idées que je vous expliquais tout à l'heure, non sans quelque peine –, je sentais, dis-je, que toute cette série d'idées avait dû nécessairement se dérouler dans l'esprit du ministre.

« Cela devait impérativement le conduire à dédaigner toutes les cachettes vulgaires. Cet homme-là ne pouvait pas être assez faible pour ne pas deviner que la cachette la plus compliquée, la plus profonde de son hôtel serait aussi peu secrète qu'une antichambre ou une armoire pour les yeux, les sondes, les vrilles et les microscopes du préfet. Enfin je voyais qu'il avait dû viser nécessairement à la simplicité, s'il n'y avait pas été induit par un goût naturel. Vous vous rappelez sans doute avec quels éclats de rire le préfet accueillit l'idée que j'exprimai dans notre première entrevue, à savoir que, si le mystère l'embarrassait si fort, c'était peut-être en raison de son absolue simplicité. »

— Oui, dis-je, je me rappelle parfaitement son hilarité. Je croyais vraiment qu'il allait tomber dans des attaques de nerfs.

— Le monde matériel, continua Dupin, est plein d'analogies exactes avec l'immatériel, et c'est ce qui donne une couleur de vérité à ce dogme de rhétorique, qu'une métaphore ou une comparaison peut fortifier un argument aussi bien qu'embellir une description.

« Le principe de la force d'inertie, par exemple, semble identique dans les deux natures, physique et métaphysique ; un gros corps est plus difficilement mis en mouvement qu'un petit, et sa quantité de mouvement est en proportion de cette difficulté ; voilà qui est aussi positif que cette proposition analogue : les intellects d'une vaste capacité, qui sont en même temps plus impétueux, plus constants et plus accidentés dans leur mouvement que ceux d'un degré inférieur, sont ceux qui se meuvent le moins aisément, et qui sont le plus embarrassés d'hésitation quand ils se mettent en marche. Autre exemple : avez-vous jamais remarqué quelles sont les enseignes de boutique qui attirent le plus l'attention ? »

— Je n'ai jamais songé à cela, dis-je.

— Il existe, reprit Dupin, un jeu de divination, qu'on joue avec une carte géographique. Un des joueurs prie quelqu'un de deviner un mot donné, un nom de ville, de rivière, d'État ou d'empire, enfin un mot quelconque compris dans l'étendue bigarrée et embrouillée de la carte. Une personne novice dans le jeu cherche en général à embarrasser ses adversaires en leur donnant à deviner des noms écrits en caractères imperceptibles ; mais les adeptes du jeu choisissent des mots en gros caractères, qui s'étendent d'un bout de la carte à l'autre. Ces mots-là, comme les enseignes et les affiches à lettres énormes, échappent à l'observateur par le fait même de leur excessive évidence ; et ici, l'oubli matériel est précisément analogue à l'inattention morale d'un esprit qui laisse échapper les considérations trop palpables, évidentes jusqu'à la banalité et l'importunité. Mais c'est là un cas, à ce qu'il semble, un peu au-dessus ou au-dessous de l'intelligence du préfet. Il n'a jamais cru probable ou possible que le ministre eût déposé sa lettre juste sous le nez du monde entier, comme pour mieux empêcher un individu quelconque de l'apercevoir.

« Mais plus je réfléchissais à l'audacieux, au distinctif et brillant esprit de D…, à ce fait qu'il avait dû toujours avoir le document sous la main, pour en faire immédiatement usage, si besoin était, et à cet autre fait que, d'après la démonstration décisive fournie par le préfet, ce document n'était pas caché dans les limites d'une perquisition ordinaire et en règle, plus je me sentais convaincu que le ministre pour cacher sa lettre avait eu recours à l'expédient le plus ingénieux du monde, le plus large, qui était de ne pas même essayer de la cacher.

« Pénétré de ces idées, j'ajustai sur mes yeux une paire de lunettes vertes, et je me présentai un beau matin, comme par hasard, à l'hôtel du ministre. Je trouve D… chez lui, bâillant, flânant, musant, et se prétendant accablé d'un suprême ennui. D… est peut-être l'homme le plus réellement énergique qui soit aujourd'hui, mais c'est seulement quand il est sûr de n'être vu de personne.

« Pour n'être pas en reste avec lui, je me plaignis

de la faiblesse de mes yeux et de la nécessité de porter des lunettes. Mais derrière ces lunettes j'inspectais soigneusement et minutieusement tout l'appartement, en faisant semblant d'être tout à la conversation de mon hôte.

« Je donnai une attention spéciale à un vaste bureau auprès duquel il était assis, et sur lequel gisaient pêle-mêle des lettres diverses et d'autres papiers, avec un ou deux instruments de musique et quelques livres. Après un long examen, fait à loisir, je n'y vis rien qui pût exciter particulièrement mes soupçons.

« À la longue, mes yeux, en faisant le tour de la chambre, tombèrent sur un misérable porte-cartes, orné de clinquant, et suspendu par un ruban bleu crasseux à un petit bouton de cuivre au-dessus du manteau de la cheminée. Ce porte-cartes, qui avait trois ou quatre compartiments, contenait cinq ou six cartes de visite et une lettre unique. Cette dernière était fortement salie et chiffonnée. Elle était presque déchirée en deux, par le milieu, comme si on avait eu d'abord l'intention de la déchirer entièrement, ainsi qu'on fait d'un objet sans valeur ; mais on avait vraisemblablement changé d'idée. Elle portait un large sceau noir avec le chiffre de D… très en évidence, et était adressée au ministre lui-même. La suscription était d'une écriture de femme très fine. On l'avait jetée négligemment, et même, à ce qu'il semblait, assez dédaigneusement dans l'un des compartiments supérieurs du porte-cartes.

« À peine eus-je jeté un coup d'œil sur cette lettre que je conclus que c'était celle dont j'étais en quête. Évidemment elle était, par son aspect, absolument différente de celle dont le préfet nous avait lu une description si minutieuse. Ici, le sceau était large et noir, avec le chiffre de D…, dans l'autre, il était petit et rouge, avec les armes ducales de la famille S… Ici la suscription était d'une écriture menue et féminine; dans l'autre, l'adresse, portant le nom d'une personne royale, était d'une écriture hardie, décidée et caractérisée; les deux lettres ne se ressemblaient qu'en un point, la dimension. Mais le caractère excessif de ces différences, fondamentales en somme, la saleté, l'état déplorable du papier, fripé et déchiré, qui contredisaient les véritables habitudes de D…, si méthodiques, et qui dénonçaient l'intention de dérouter un indiscret en lui offrant toutes les apparences d'un document sans valeur, tout cela, en y ajoutant la situation impudente du document mis en plein sous les yeux de tous les visiteurs et concordante ainsi exactement avec mes conclusions antérieures, tout cela, dis-je, était fait pour corroborer décidément les soupçons de quelqu'un venu avec le parti pris du soupçon.

« Je prolongeai ma visite aussi longtemps que possible, et, tout en soutenant une discussion très vive avec le ministre sur un point que je savais être pour lui d'un intérêt toujours nouveau, je gardais invariablement mon attention braquée sur la lettre. Tout en faisant cet examen, je réfléchissais sur son aspect extérieur et sur la manière dont elle était arrangée dans le porte-cartes, et à la longue je tombai sur une découverte qui mit à néant le léger doute qui pouvait me rester encore. En analysant les bords du papier, je remarquai qu'ils étaient plus éraillés que *nature*. Ils présentaient l'aspect cassé d'un papier dur, qui, ayant été plié et foulé par le couteau à papier, a été replié dans le sens inverse, mais dans les mêmes plis qui constituaient sa forme première. Cette découverte me suffisait. Il était clair pour moi que la lettre avait été retournée comme un gant, repliée et recachetée. Je souhaitai le bonjour au ministre, et je pris soudainement congé de lui, en oubliant une tabatière en or sur son bureau.

« Le matin suivant, je vins pour chercher ma tabatière, et nous reprîmes très vivement la conversation de la veille. Mais, pendant que la discussion s'engageait, une détonation très forte, comme un coup de pistolet, se fit entendre sous les fenêtres de l'hôtel, et fut suivie des cris et des vociférations d'une foule épouvantée. D… se précipita vers une fenêtre, l'ouvrit, et regarda dans la rue. En même temps, j'allai droit au porte-cartes, je pris la lettre, je la mis dans ma poche, et je la remplaçai par une autre, une espèce de *fac-similé* (quant à l'extérieur), que j'avais soigneusement préparé chez moi, en contrefaisant le chiffre de D... à l'aide d'un sceau de mie de pain.

« Le tumulte de la rue avait été causé par le caprice insensé d'un homme armé d'un fusil. Il avait déchargé son arme au milieu d'une foule de femmes et d'enfants. Mais comme elle n'était pas chargée à balle, on prit ce drôle pour un lunatique ou un ivrogne, et on lui permit de continuer son chemin. Quand il fut parti, D... se retira de la fenêtre, où je l'avais suivi immédiatement après m'être assuré de la précieuse lettre. Peu d'instants après, je lui dis adieu. Le prétendu fou était un homme payé par moi.

— Mais quel était votre but, demandai-je à mon ami, en remplaçant la lettre par une contrefaçon ? N'eût-il pas été plus simple, dès votre première visite, de vous en emparer, sans autres précautions, et de vous en aller ?

— D..., répliqua Dupin, est capable de tout, et, de plus, c'est un homme solide. D'ailleurs, il a dans son hôtel des serviteurs à sa dévotion. Si j'avais fait l'extravagante tentative dont vous parlez, je ne serais pas sorti vivant de chez lui. Le bon peuple de Paris n'aurait plus entendu parler de moi. Mais, à part ces considérations, j'avais un but particulier. Vous connaissez mes sympathies politiques. Dans cette affaire j'agis comme partisan de la dame en question. Voilà dix-huit mois que le ministre la tient en son pouvoir. C'est elle maintenant qui le tient, puisqu'il ignore que la lettre n'est plus chez lui, et qu'il va vouloir procéder à son chantage habituel. Il va donc infailliblement opérer lui-même et du premier coup sa ruine politique. Sa chute ne sera pas moins précipitée que ridicule. On parle fort lestement du *facilis descensus Averni*; mais, en matière d'escalades, on peut dire ce que la Catalani disait du chant : « Il est plus facile de monter que de descendre. » Dans le cas présent, je n'ai aucune sympathie, pas même de pitié pour celui qui va descendre. D…, c'est le vrai *monstrum horrendum*, un homme de génie sans principes. Je vous avoue, cependant, que je ne serais pas fâché de connaître le caractère exact de ses pensées, quand, mis au défi par celle que le préfet appelle *une certaine personne*, il sera réduit à ouvrir la lettre que j'ai laissée pour lui dans son porte-cartes.

— Comment ! est-ce que vous y avez mis quelque chose de particulier ?

— Eh mais ! il ne m'a pas semblé tout à fait convenable de laisser l'intérieur en blanc, cela aurait eu l'air d'une insulte. Une fois, à Vienne, D… m'a joué un vilain tour, et je lui dis d'un ton tout à fait gai que je m'en souviendrais. Aussi, comme je savais qu'il éprouverait une certaine curiosité relativement à la personne par qui il se trouverait joué, je pensai que ce serait vraiment dommage de ne pas lui laisser un indice quelconque. Il connaît fort bien mon écriture, et j'ai copié tout au beau milieu de la page blanche ces mots :

> ... Un dessein si funeste,
> S'il n'est digne d'Atrée, est digne de Thyeste.

Vous trouverez cela dans l'*Atrée* de Crébillon.

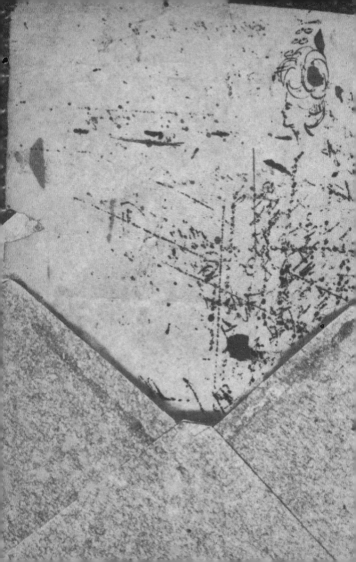

Un conte policier

Il est devenu habituel d'attribuer à Edgar Allan Poe la paternité du « roman policier ». Les trois contes qui mettent en scène Charles-Auguste Dupin, *Double Assassinat dans la rue Morgue*[1], *Le Mystère de Marie Roget*[2] et, bien sûr, *La Lettre volée*, offrent en effet pour la première fois les ingrédients du genre : une énigme à résoudre, un lieu clos, un analyste de génie (le futur « détective ») doublé d'un narrateur-témoin admiratif, une police officielle obtuse et ridicule à force d'incompétence. De Conan Doyle[3] à Émile Gaboriau[4], de Gaston Leroux[5] à John Dickson Carr[6], de G. K. Chesterton à Agatha Christie, les héritiers littéraires de Poe utilisent, pour l'essentiel, un cadre narratif identique, parfois jusqu'au plagiat.

Paradoxalement, *La Lettre volée* nous prive pourtant d'un élément essentiel de la « recette » : ni meurtre ni cadavre. L'énigme ne porte même pas sur le contenu de la missive (amour ? affaire d'État ?) dont nous ignorerons tout jusqu'au bout. Le suspense n'en souffre pas ; c'est qu'il joue sur des ressorts narratifs autrement subtils et efficaces que de simples accessoires.

D'abord, le rythme : la brièveté de la nouvelle autorise seule l'émotion (la commotion) recherchée pour le lecteur, « l'intensité de l'effet » dont parle Baudelaire à propos de Poe : « Cette lecture, qui peut être accomplie tout d'une haleine, laisse dans l'esprit un souvenir bien plus puissant qu'une lecture brisée [7]… »

Cette « temporalité accentuée [8] » rend très floue la frontière entre « policier » et « fantastique ». Dans chaque cas, la tension naît de l'opposition entre deux types d'explications d'une réalité monstrueuse : l'une, vraisemblable, est contredite par les faits (la lettre est cachée… mais n'a pas de cachette) ; l'autre, apparemment invraisemblable, se révèle la seule rationnelle (la lettre n'est pas cachée). Le vertige qui saisit le lecteur au fur et à mesure que Dupin développe la chaîne de ses déductions est du même ordre que celui dont nous sommes le jouet lors de la *Descente dans le maelström*. Une « inquiétante étrangeté », selon l'expression de Freud, naît d'une rationalité poussée à l'extrême, qui isole, réduit (au sens militaire) et condense un fantasme obsessionnel.

En ce sens, Poe, comme le souligne Borges [9], est plutôt l'inventeur d'un lecteur que d'un genre. La participation de celui-ci est constamment sollicitée, comme dans un jeu ou une séance de psychanalyse. Il doit littéralement entrer, à ses risques et périls, dans un réseau d'intrigues, de symboles et de conflits et se doit, autant que les protagonistes, d'en dénouer les fils. Il n'y parviendra, comme l'indique le chevalier Dupin, qu'en respectant certaines règles : ne pas privilégier les indices de détails (qui abondent pourtant !) au détriment de la vue d'ensemble, ne pas se laisser prendre au piège des coïncidences, ne pas être rebuté par les difficultés (qui sont plutôt un point d'appui utile au raisonnement) et surtout être capable de s'abstraire de sa propre personnalité pour s'identifier au psychisme de l'autre. On sait avec quelle constance et quel succès cette dernière clé psychologique sera utilisée par le Maigret de Simenon dans la plupart de ses enquêtes. Chez Poe, cet impératif explique, en outre, le thème omniprésent du « double », qu'illustrent directement certains contes (*William Wilson*), l'usage de pseudonymes transparents (Arthur Gordon Pym [10]) et la structure duelle des contes policiers : un narrateur naïf, un analyste infaillible.

La nouveauté du cycle Dupin consiste moins dans l'apparition d'un « genre » (le terme de « roman policier » ne prévaudra qu'un demi-siècle plus tard) que dans le surgissement d'une écriture donnant le premier rôle à l'intellect. L'art, selon Poe, est une construction de l'esprit, non un fruit de l'inspiration, et le principe vaut autant pour la réception que pour la composition de l'œuvre. Ainsi s'explique sans doute l'attrait exercé par ses récits sur Baudelaire, Valéry ou Borges, qui recherchèrent eux aussi les vertiges de la raison pure.

On aurait tort de voir dans ce culte de l'analyse une tendance à la froideur narrative. D'abord, Dupin (comme plus tard Sherlock Holmes) s'engage dans l'action en pariant sur l'issue des événements, et ce pari s'inscrit dans la durée : il peut donc réussir, par exemple, à restituer au préfet de police la fameuse lettre [11], comme il pourrait échouer. L'enjeu dépasse considérablement le cadre d'un simple exercice intellectuel. À travers le préfet

G..., dont les méthodes convenues et faussement scientifiques sont ridiculisées une fois de plus, c'est l'ensemble d'une société bourgeoise (la monarchie de Juillet, image de l'Amérique bostonienne) qui sombre dans le grotesque. Tout comme le fantastique, l'intrigue policière peut être un redoutable instrument de satire, et ce n'est pas un hasard si Poe privilégie, tel Voltaire, la forme du conte plutôt que celle du roman [12].

Par ailleurs, comme le note Jacques Lacan [13], le pari est à la source de la fonction symbolique que manifeste *La Lettre volée* : dans ce jeu dialectique plus que psychologique, chacun des protagonistes poursuit « chez un sujet une régularité présumée qui se dérobe » ; la lettre elle-même est un personnage, qui représente (et révèle) l'inconscient de ses détenteurs successifs. Ainsi, le ministre qui l'a dérobée va-t-il perdre la partie exactement pour la raison qui la lui avait fait gagner, définitivement, pensait-il : il a pris la lettre sans difficulté parce qu'elle s'offrait à la vue de tous, et c'est ainsi qu'elle lui sera reprise. Il a voulu, en fait, devenir roi. Sa punition sera de le devenir, non dans les attributs d'Atrée, mais dans ceux de Thyeste, le double, le rival, le frère maudit, qui dut dévorer ses propres enfants pour expier ses crimes antérieurs.

Car les bonnes histoires policières sont construites, telles les tragédies classiques, à partir d'un crime originel, d'un méfait primordial préexistant à l'action : les épisodes n'en sont qu'une conséquence fatalement déroulée.

JÉRÔME VÉRAIN

NOTES

1. *Histoires extraordinaires*, Le Livre de poche.

2. *Histoires grotesques et sérieuses*, Le Livre de poche.

3. Même si Sherlock Holmes marque un mépris plutôt cavalier pour Dupin, ce « type tout à fait inférieur », dans *Étude en rouge*.

4. *L'Affaire Lerouge*, 1863.

5. *Le Mystère de la chambre jaune*, 1907.

6. *La Chambre ardente*, 1937.

7. Charles Baudelaire, *Notes nouvelles sur E. Poe*, 1857. Poe lui-même affirme les vertus de la brièveté en poésie dans *Poetic principle*.

8. Tzvetan Todorov, *Introduction à la littérature fantastique*, Seuil. 1970.

9. J. L. Borges, « Le conte policier », in *Autopsies du roman policier*, textes réunis par Uri Eisenzweig, UGE, 1983.

10. Outre l'initiale identique du nom, Borges fait remarquer (voir note précédente) qu'Arthur est un prénom saxon, comme Edgar, et Gordon un prénom écossais, comme Allan.

11. De même, dans *Double Assassinat de la rue Morgue*, Dupin parie sur la venue chez lui du marin propriétaire de l'orang-outang, dont l'existence est une simple conjecture. *Le Mystère de Marie Roget*, calqué sur un cas réel, est encore plus exemplaire : la résolution de l'affaire devait donner raison à l'auteur, bien des années après la parution du texte. Ce qui caractérise la « littérature nouvelle » de Poe, selon Baudelaire, c'est « le conjecturisme et le probabilisme ».

12. Borges lui aussi parle volontiers de *cuento policial*, ou même de *leyenda policial*. M. Bakhtine compare Poe à Dostoïevski pour sa volonté de subvertir l'ordre établi par le « réalisme grotesque », à l'image de Rabelais ou de Shakespeare (*La Poétique de Dostoïevski*, Seuil, 1969 ; cité par M. Zéraffa dans son introduction aux *Histoires grotesques et sérieuses*, Le Livre de poche).

13. *Le Séminaire*, livre II, ch. XV et XVI, Seuil, 1978.

Vie d'Edgar Poe

19 janvier 1809. Naissance d'Edgar Poe, à Boston. Ses parents, David Poe et Elizabeth Arnold Hopkins, sont comédiens. David Poe abandonne sa famille.

1811. Mort de la mère d'Edgar. L'enfant est recueilli par Frances Allan, femme d'un riche commerçant de Richmond. Edgar est scolarisé dans cette ville jusqu'en 1815. À cette date, il suit les Allan en Angleterre où il demeure jusqu'en 1820.

1826. John Allan inscrit Edgar à l'université de Virginie, l'obligeant ainsi à rompre son idylle avec Sarah Elmira Royster. L'étudiant accumule les dettes de jeu. John Allan refusant de payer, Edgar doit quitter l'université. Ses relations avec son père adoptif sont de plus en plus tendues.

1827. Edgar part pour Boston où il s'engage dans l'armée. Il atteint le grade le plus haut auquel il pouvait prétendre. Il publie anonymement *Tamerlan et autres poèmes*.

1829. Edgar quitte l'armée. Le jeune homme va vivre à Baltimore chez la sœur de son père, Maria Clemm, veuve et mère d'une petite fille, Virginia. Publication d'*Al Aaraaf* et de ses premiers poèmes.

1830. Edgar entre à West Point. Mais les études y coûtent cher et l'aide d'Allan est restreinte. Edgar souffre de son manque de ressources.

1831. Expulsé de l'académie militaire, Edgar se met à écrire assidûment : *Contes du Folio Club*, *Manuscrit trouvé dans une bouteille*, *Bérénice*, *Morella*, *Manque d'haleine*, *Le Roi Peste*, etc.

1833. Grâce au *Manuscrit trouvé dans une bouteille*, Poe emporte un prix au concours du *Baltimore Saturday Visiter* et cela lui donne l'opportunité de publier plusieurs contes dans un journal de Richmond, le *Southern Literary Messenger*.

1834. John Allan meurt sans rien laisser à Edgar.

1835. Poe s'établit à Richmond. Il y devient le collaborateur régulier du *Southern Literary Messenger*.

1836. Avec l'accord de Maria Clemm, Edgar et Virginia, qui n'a que treize ans, se marient dans le plus grand secret.

1837. Malgré la rapide progression des ventes que connaît le *Messenger* depuis l'arrivée de Poe, il est licencié en raison de son penchant pour la boisson. Il part pour New York. Il y achève *Les Aventures d'Arthur Gordon Pym*.

1838. Poe s'installe à Philadelphie.

1839. Collaborateur au *Gentleman's Magazine*, il y publie de nombreux récits : *La Chute de la Maison Usher*, *William Wilson*, *Morella* (déjà paru en 1835)…

1840. Publication d'un premier recueil de contes, *Tales of the Grotesque and Arabesque*. Poe projette de créer son propre magazine, *Penn*.

1841. Poe devient rédacteur du *Graham's Magazine*. Il y publie notamment : *Colloque entre Monos et Una* et *Double Assassinat dans la rue Morgue*.

1842. Toujours à cause de l'alcool, il est renvoyé du *Graham's Magazine*. Virginia, en chantant, se rompt un vaisseau sanguin. La maladie ne la quittera plus.

1843. Cette maladie désespère Edgar qui boit toujours davantage. Néanmoins, il écrit beaucoup. Les contes de cette époque sont parmi les plus cruels de Poe : *Le Masque de la mort rouge* (1842), *Le Puits et le Pendule*, *Le Chat noir*, *Le Cœur révélateur*.

1844. Poe travaille au *New York Sun*, dans lequel paraît *Le Canard au ballon*, présenté comme une information, sous une énorme manchette.

1845. L'*Evening Mirror* publie *Le Corbeau*, poème qui va rendre Poe célèbre. Entré comme rédacteur, il devient le seul propriétaire du *Broadway Journal*. Il le néglige et en abandonne la direction. La famille Poe, appauvrie, s'installe dans un cottage à Fordham, dans la grande banlieue de New York. Poe réunit en volume douze de ses contes, rassemblant notamment *La Lettre volée* et *Le Scarabée d'or.*

1846. Le *Broadway Journal* cesse de paraître.

1847. Virginia meurt le 30 janvier. Edgar est désespéré.

1848. La fidélité à son deuil l'empêche de vivre pleinement ses relations amoureuses avec la poétesse Sarah Helen Whitman, Annie Richmond, puis Sarah Elmira Royster, son amour de jeunesse. Publication d'*Eureka.*

1849. Dans ses dernières années, Poe compose quelques-uns de ses plus beaux poèmes : *Les Cloches*, *Eldorado*, *À ma mère* (poème dédié à Maria Clemm, aux côtés de qui il vivra jusqu'à ses derniers jours)... Cette dernière année est terrible. Edgar Allan Poe meurt le 7 octobre à Baltimore.

Repères bibliographiques

Ouvrages d'Edgar Poe

◆ *Le Scarabée d'or*, Éditions Mille et une nuits, 1994.

◆ *Contes, essais, poèmes*, Laffont, collection Bouquins, 1989.

◆ *Les Aventures d'Arthur Gordon Pym*, Gallimard, collection Folio, 1975.

◆ *Le Chat noir et autres récits fantastiques*, J'ai lu, 1986.

◆ *Histoires extraordinaires*, Le Livre de poche, 1972.

◆ *Histoires grotesques et sérieuses*, Gallimard, collection Folio, 1978.

Études sur Edgar Poe

◆ BAUDELAIRE (Charles), *Edgar Allan Poe, sa vie et ses ouvrages* (1852), *Edgar Poe, sa vie et ses œuvres* (1856) et *Notes nouvelles sur Edgar Poe* (1857), in *Œuvres en prose* d'Edgar Poe, Bibliothèque de la Pléiade.

◆ RICHARD (Claude), *Edgar Allan Poe, journaliste et critique*, Klincksieck, 1978.

◆ WALTER (Georges), *Enquête sur Edgar Allan Poe, poète américain*, Flammarion, 1991.

Mille et une nuits propose des chefs-d'œuvre pour le temps
d'une attente, d'un voyage, d'une insomnie…

Dernières parutions

Pour chaque titre, le texte intégral, une postface,
la vie de l'auteur et une bibliographie.

Éditions Mille et une nuits 94, rue Lafayette 75010 Paris.
e-mail : info@1001nuits.com

49-40-4224-9/03
n° d'édition 33281
Achevé d'imprimer en mars 2003
sur papier Ensoclassique par G. Canale & C. SpA (Turin, Italie).